NORDAMERIKA

SÜDAMERIKA

S

ANTARKTIS

Lena Anlauf & Vitali Konstantinov

GENIALE NASEN

Eine kuriose Tiersammlung

Nord
Süd

WER UND WO?

ERDFERKEL

Orycteropus afer

Erdferkel leben südlich der Sahara in afrikanischen Savannen, Busch- und Grasländern oder Waldgebieten. Hauptsache, die Erde dort ist locker genug, damit sie ihre unterirdischen Tunnel und Höhlen graben können. Und Termiten oder Ameisen sollten in der Nähe sein.

Wenn das Erdferkel ein Termitennest erschnüffelt hat, bricht es dieses mit seinen scharfen Krallen auf, sammelt die Insekten mit seiner klebrigen Zunge, verschluckt sie im Ganzen und zerkaut sie mit seinen Magenmuskeln.

Erdferkel gehören zu den Makrosmaten: Das sind Nasentiere, die sich meist mithilfe ihres Geruchssinns orientieren. Sie erkennen sogar ihre Artgenossen am persönlichen Duft.

Es ist nicht sicher, ob Erdferkel die nach ihnen benannte Gurke mit Absicht verspeisen oder ihre Samen bloß aus Versehen mitfressen. Sie tragen jedenfalls zu ihrer Verbreitung bei, indem sie ihren Kot mitsamt Pflanzensamen sorgfältig verbuddeln.

Cucumis humifructus

Erdferkel-Gurke

Wenn es einen Fressfeind wittert, rennt das Erdferkel überraschend schnell los und verschwindet kopfüber in einem seiner Erdlöcher. Es kann die Nasenlöcher verschließen, damit beim Graben keine Erde hineingerät. Seine borstigen Nasenhaare dienen zusätzlich als Filter.

Bevor der Rüssler auftaucht, hält er seine Nase manchmal wie einen Schnorchel aus dem Wasser, um mögliche Gefahren zu wittern.

Wird auch Desman oder Wychochol genannt.

BISAMRÜSSLER
Desmana moschata / Galemys pyrenaicus

Bisamrüssler sind hervorragende Taucher: Ihr Fell ist so dicht und ölig, dass ihre Haut immer trocken bleibt. Ihre rohrförmigen Nasen können sie durch kleine Hautlappen verschließen.

Die geselligen Tiere leben in Höhlen, deren Eingänge unter der Wasseroberfläche versteckt liegen.

Der Bisamrüssler ist ein Wassermaulwurf. Er lebt an ruhigen Flüssen, Seen und Teichen in Russland, der Ukraine und Kasachstan. Den etwas kleineren Pyrenäen-Desman findet man in Gebirgsbächen Spaniens, Portugals und Frankreichs. Beide Arten sind beinahe blind und orientieren sich mit ihren Nasen übers Tasten und Schnüffeln. Wenn der Desman ein Beutetier findet, umschlingt er es mit seinem Rüsselchen und verspeist es auf der Stelle.

Der Rüssler steckt seine Nase auch gern in den Uferschlamm. Dort kann er mit seinen Tasthaaren die Bewegungen von Insekten oder Würmern orten.

Pro Tag verputzt er eine Menge Kleintiere, die mindestens der Hälfte seines eigenen Körpergewichts entspricht!

Bisam ist ein anderes Wort für Moschus, einen besonders tierischen Geruch, den Desmane über eine Drüse absondern. Früher wurden sie deswegen zur Parfümherstellung gejagt. Das ist heute verboten, aber dafür sind sie durch die zunehmende Wasserverschmutzung gefährdet.

STINKDACHS

TELEDU  PANTOT

 *Mydaus javanensis / Mydaus marchei*

Europäischer Dachs — Sunda-Stinkdachs — Streifenskunk

Stinkdachse findet man in den Wäldern indonesischer und philippinischer Inseln. Sie werden auch *Falsche Dachse* genannt, denn sie gehören gar nicht zur Familie der Dachse. Sie sind Skunks, das ist die wissenschaftliche Bezeichnung für Stinktiere.

Die Tage verbringt der Stinkdachs in einem unterirdischen Bau. Manchmal buddelt er diesen selbst, aber oft übernimmt er auch verlassene Stachelschwein-Tunnel. Hin und wieder kommt es sogar vor, dass sich Stinkdachs und Stachelschwein ein Zuhause teilen.

Sunda-Stachelschwein

Ihre beweglichen Rüsselnasen helfen den kleinen Raubtieren, Fressbares zu erschnüffeln und auszubuddeln.

Wenn sich ein Stinkdachs bedroht fühlt, dreht er dem Angreifer sein Hinterteil zu und spritzt ihm eine grün-gelbliche Flüssigkeit aus seinen Analdrüsen entgegen. Die stinkt bestialisch und wehrt auf diese Weise Raubtiere wie wilde Katzen und Hunde ab. Weniger gut funktioniert der Abwehrmechanismus allerdings bei Raubvögeln, deren Geruchssinn nicht besonders gut ist: Den ekelerregenden Gestank nehmen sie kaum wahr.

Östlicher Langschnabeligel

Zaglossus bartoni

Auf Flinders Island findet man eine blonde Unterart der Kurzschnabeligel.

Tachyglossus aculeatus setosus

SCHNABELIGEL

Die Schnabeligel teilen sich in zwei Gattungen auf: Kurzschnabel- und Langschnabeligel. Den Langschnabel findet man ausschließlich auf Neuguinea, der Kurzschnabel lebt zudem in Australien und Tasmanien. Man nennt sie auch Ameisenigel oder Echidna.

Schnabeligel sind neben dem Schnabeltier die einzigen eierlegenden Säugetiere. Das ledrige, traubengroße Ei bewegen die Mütter mithilfe ihrer Schnabelnase von ihrer Kloake zum Beutel. Dort wird es etwa zehn Tage lang bebrütet, bevor die Schnabeligelchen schlüpfen.

Die Jungtiere sind stachellos und nackt.

18 cm

Die winzige Mundöffnung ist gerade groß genug, um mit der langen Zunge kleine Insekten und Würmer hineinzubefördern.

Ameisenigel verwenden ihre Schnäbel als Hebel. Sie brechen damit verrottende Baumstämme auseinander oder verschieben Steine, um Insekten zu finden. An den Ameisen- oder Termitenhügeln erschnuppern sie, wo genau im Bau sich die Insekten befinden. Dabei helfen ihnen zusätzlich spezielle Elektro-Sinneszellen an der Nasenspitze, mit denen sie die Beute anhand der Muskelbewegungen orten.

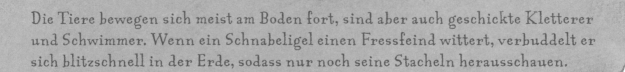

Die Tiere bewegen sich meist am Boden fort, sind aber auch geschickte Kletterer und Schwimmer. Wenn ein Schnabeligel einen Fressfeind wittert, verbuddelt er sich blitzschnell in der Erde, sodass nur noch seine Stacheln herausschauen.

In seiner Heimat nennt man ihn Bilby.

KANINCHENNASENBEUTLER
Macrotis lagotis / Macrotis leucura

Große Kaninchennasenbeutler leben in Australien. Sie haben ein seidenweiches Fell und bewegen sich meist hoppelnd fort. Die Weibchen haben einen nach hinten geöffneten Beutel.

Tagsüber schlafen sie in ihren Höhlen, die zwei Meter tief in der Erde liegen. Diese bieten auch anderen seltenen Tieren Schutz vor Hitze und Bränden, die im Sommer häufig vorkommen.

Der Geruchssinn des Bilbys ist sehr gut. Er reckt seine Nase aus den Erdlöchern, um mögliche Feinde zu wittern. Auf diese Weise vermeidet er Begegnungen mit Dingos, den wilden Hunden Australiens.

Doch als die Menschen Katzen und Füchse auf den Kontinent brachten, erkannten die Bilbys die Gefahr der unbekannten Raubtiergerüche häufig nicht. Die kleinere der beiden Nasenbeutlerarten ist seitdem bereits ausgestorben.

Auch Kaninchen wurden in die Heimat der Bilbys gebracht. Das führte zur Verdrängung der Nasenbeutler: Ihr Bestand wird immer kleiner. Deshalb setzt man sich seit einigen Jahren dafür ein, dass die Tiere mehr Aufmerksamkeit bekommen und besser geschützt werden: Die Nasenbeutler werden als Osterhasen-Ersatz vorgeschlagen.

HAPPY AUSTRALIAN EASTER!

Der Verkauf von Schoko-Bilbys hat bereits einen 20 Kilometer langen, raubtiersicheren Zaun finanziert. Damit wird nun eine Gruppe von Nasenbeutlern in einem Nationalpark geschützt.

Wird auch Sternmull genannt.

STERNNASENMAULWURF
Condylura cristata

Sternnasenmaulwürfe leben in
Nordamerika. Sie graben Tunnel
unter der Erde, halten sich aber
zwischendurch auch gern an der
Oberfläche oder in Tümpeln und
Bächen auf. Nahezu blind und
gehörlos, orientieren sie sich vorwiegend über ihren fantastisch
guten Tastsinn: Wissenschaftler
haben herausgefunden, dass sie mit
ihrer Nase immerzu umhertasten
und so sternförmige Bilder ihrer
Umgebung im Gehirn erzeugen.

Der Sternmull gehört zu den wenigen
Säugetieren, die mithilfe eines Tricks
unter Wasser riechen können: Er taucht,
atmet aus, hält die Luftbläschen mit seinen
Tentakeln fest und saugt sie mitsamt der
Duftmoleküle aus der Umgebung wieder ein.

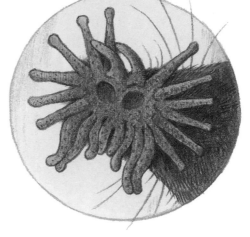

Auf dem etwa fingergroßen Organ sind
22 Tentakel sternförmig um die beiden
Nasenlöcher herum angeordnet. Darauf
befinden sich mehr als hunderttausend
Nervenfasern auf winzigen Noppen.
Das sind fünfmal so viele wie auf der
gesamten menschlichen Hand!

Mithilfe seiner hochsensiblen Tentakel
kann der Sternmull bis zu 13 Tierchen
pro Sekunde aufspüren und zugleich auf
Fressbarkeit untersuchen. In weniger als
einer Viertelsekunde verschlingt er seine
Beute. Das macht ihn zum allerschnellsten
Fresser unter den Säugetieren.

Der Streifentenrek lebt auf Madagaskar. Sein Näschen ist mit empfindlichen Tasthaaren und warzigen Buckeln bedeckt, die beim Aufspüren der Beute helfen. Wenn sich ein neues Tenrek-Pärchen findet, begutachtet es sich beginnend mit dem gegenseitigen Beschnuppern der Nasen. Und wenn die Jungen allzu früh das Nest verlassen, schieben die Eltern sie mit ihren unstacheligen Nasenspitzen behutsam wieder zurück.

Hemicentetes semispinosus

SCHWEINSNASEN-SPITZMAUSRATTE

Die Schweinsnasen-Spitzmausratte lebt auf der indonesischen Insel Sulawesi. Ihr lateinischer Name *Hyorhinomys stuempkei* ehrt den Zoologen Gerolf Steiner, der unter dem Pseudonym Harald Stümpke ein Buch über die erfundene Säugetiergruppe der Naslinge geschrieben hat.

Hyorhinomys stuempkei

RÜSSELHÜNDCHEN

ELEFANTENSPITZMAUS

Rhynchocyon petersi

Elephantulus intufi

Diese beiden gehören zur Ordnung der Rüsselspringer, die in Afrika beheimatet ist. Sie finden mit ihrem biegsamen Näschen leckere Insekten, indem sie es unter Blätterlaub stecken und ihrem sehr gut ausgeprägten Geruchssinn folgen.

SCHLITZRÜSSLER

Schlitzrüssler findet man nur auf den Inseln Kuba und Hispaniola. Die hispaniolische Art hat ein ganz besonderes Rüsselchen: Dessen Nasenknochen hat ein Kugelgelenk, das eine vollständige Drehung der Nase ermöglicht. Schlitzrüssler gehören wie ihre spitznasigen Verwandten, die Wasser- und Sumpf-Spitzmäuse, zu den wenigen giftigen Säugetieren.

Solenodon paradoxus

Solenodon cubanus

Neomys fodiens

RIESENHAMSTERRATTE

Eine trainierte afrikanische Riesenhamsterratte kann mit ihrer Supernase beim Erkennen von Krankheiten helfen. Außerdem kann sie Schmuggler überführen und Landminen in ehemaligen Kriegsgebieten aufspüren.

Cricetomys gambianus

Die Ratte Magawa wurde für ihre Schnüffel-Arbeit in Kambodscha mit einer Goldmedaille ausgezeichnet. Als sie 2021 in den Ruhestand ging, hatte sie 71 Landminen und 38 Sprengkörper entdeckt und somit etwa 225 000 Quadratmeter Land wieder zugänglich gemacht.

Madoqua saltiana DIKDIK Madoqua piacentinii

Madoqua guentheri / Madoqua kirkii

Dikdiks sind Zwergantilopen, die in afrikanischen Steppen und Halbwüsten leben. Über ihre pflanzliche Nahrung nehmen sie so viel Flüssigkeit auf, dass sie fast nie etwas trinken müssen. Es ist umstritten, ob es vier oder doch deutlich mehr Arten gibt. Die längsten Rüssel haben die Günther-Dikdiks.

Dikdiks leben in lebenslangen Partnerschaften. Ihre Reviere kennzeichnen sie mit Tränen- oder Kot-Duftmarken.

Das Dikdik kann sein Näschen in jede Himmelsrichtung recken und aufblähen.

Die langen Nasenlöcher dienen als Klimaanlage: Die feuchte Nasenschleimhaut und der schnelle Luftstrom beim Ein- und Ausatmen kühlen das Blut im Rüssel ab. Wenn es sich dann wieder im Körper verteilt, sinkt die gesamte Körpertemperatur.

DSIK-DSIK!

Bei Gefahr stellt die Zwergantilope ihren wuscheligen Haarschopf auf und macht ein pfeifendes Geräusch durch die Nase, das wie *dsik-dsik* klingt. Diesem Ruf, der auch andere Tiere vor Raubtieren und Jägern warnt, hat sie ihren Namen zu verdanken. Auf der Flucht flitzt das Dikdik in bis zu drei Meter weiten Sprüngen im Zickzackmuster von einem schützenden Gebüsch zum nächsten.

In den kalten Monaten wächst den Saigas ein flauschiges Winterfell.

SAIGA-ANTILOPE

Saiga tatarica / Saiga mongolica

Die Saiga-Antilope lebt in Halbwüsten und Steppen im südlichen Russland, in Kasachstan und in der Mongolei. Eiszeitliche Nasen-Wandmalereien und -Gravuren belegen, dass die Menschen bereits vor Jahrtausenden von ihrem Erscheinungsbild fasziniert waren.

Mit ihrer rüsselartigen Nase kann die Saiga-Antilope nicht nur gut riechen. Sie hilft ihr auch beim Überleben in der Steppe, in der es im Sommer sehr heiß und im Winter eisig kalt wird. Wie beim Dikdik ist sie eine hilfreiche Klimaanlage: Im Sommer schützt sie vor Überhitzung, weil das Blut beim schnellen Atmen im Rüssel heruntergekühlt wird und sich danach im Körper verteilt. In der Kälte kann die Atemluft darin vorgewärmt werden.

MUU
MUUÄÄÄH

Die Nasenlöcher funktionieren als Staubfilter und Luftbefeuchter: Sie sind dicht besetzt mit Haaren und Schleimdrüsen. So kann Staub, der im Sommer von der Herde aufgewirbelt wird, herausgefiltert werden. Die Rüsselnase der männlichen Saigas hilft zudem bei der Partnersuche: Sie kann anschwellen und die Brunftrufe als Resonanzkörper eindrucksvoll verstärken.

Saigas sind wichtig für das Ökosystem, weil sie Dünger und Samen mit ihrem Kot über große Strecken hinweg verteilen. An einem Tag laufen sie bis zu 120 Kilometer weit.

SCHWEINE

Es gibt etwa eine Milliarde Schweine auf der Welt. Die allermeisten davon gehören zu den Hausschweinen, die die Menschen aus den Wildschweinen gezüchtet haben. Der Familie der *Echten Schweine* gehören sechs verschiedene Gattungen an:

SCHWEINE

Wildschwein

Mehr als 500 Hausschwein-Rassen!

Hausschwein

Bartschwein

Sulawesi-Pustelschwein

+ 5 weitere Arten

BUSCHSCHWEINE

Pinselohrschwein

+ 1 weitere Art

WARZENSCHWEINE

Eigentliches Warzenschwein

+ 1 weitere Art

PORCULA

Zwergwildschwein

HIRSCHEBER

Sulawesi-Hirscheber

+ 2 weitere Arten

HYLOCHOERUS

Riesenwaldschwein

2 m

Obwohl Schweine ganz unterschiedlich aussehen, kann man sie immer an einer Gemeinsamkeit erkennen: der Wühlscheibe ganz vorn am Rüssel. Deren knorpelige Oberkante ist so kräftig, dass die Tiere damit nach Nahrung graben und wühlen können. Gleichzeitig ist die Rüsselscheibe aber auch ein sehr empfindsames Tastorgan.

Das größte Schwein der Welt ist das afrikanische Riesenwaldschwein, das kleinste das indische Zwergwildschwein. Die Zwerge hielt man jahrelang für ausgestorben. Nach ihrer Wiederentdeckung fingen Naturschützer einige Tiere der seltenen Art ein, züchteten sie und wilderten sie wieder aus. So erholt sich ihr Bestand nun nach und nach.

Hylochoerus meinertzhageni

Porcula salvania

Sus scrofa domesticus

Schweine sind wahre Makrosmaten: Sie können Leckerbissen riechen, die sich bis zu 50 Zentimeter unter der Erde befinden. Daher wurden sie früher oft als Trüffelsucher eingesetzt. Heute engagiert man dafür lieber Hunde. Denn wenn man nicht aufpasst, verputzen die klugen, eigensinnigen Allesfresser die Trüffel einfach selbst.

25

TAPIR

Tapirus indicus

Tapirus terrestris

Tapirus pinchaque

Tapirus bairdii

↑?

Tapirus kabomani

Tapire gehören zu einer uralten Säugetiergattung. Einige Arten sind bereits ausgestorben. Heute gibt es neben dem südostasiatischen Schabrackentapir noch seine mittel- und südamerikanischen Verwandten. Erst 2009 wurde der Kabomani-Tapir beschrieben – bei ihm ist man sich allerdings noch nicht einig, ob er eine eigene Art oder nur eine Unterart des Flachlandtapirs ist.

Nase und Oberlippe des Tapirs sind zu einem Rüssel verwachsen. Schraubenartig verlaufende Muskeln ermöglichen es, ihn in alle Richtungen zu bewegen und als vielseitiges Werkzeug einzusetzen. So können Tapire damit nicht nur Nahrung durch Schnuppern aufspüren. Sie können ihre Nase auch als Greifrüssel nutzen, um Blätter und Zweige abzurupfen und in ihr Maul zu bugsieren.

Um sich untereinander zu verständigen, rülpsen, glucksen, quieken, fiepsen und jaulen Tapire. Für manche der Laute funktioniert ihr Rüssel als Verstärker.

FIIIIIIIIIEEEEPS!

MJAM!

Flachlandtapire leben in dichten Urwäldern in der Nähe von Gewässern. Sie fressen gern Wasserpflanzen und sind fantastische Schwimmer. Ihren Rüssel nutzen sie als Schnorchel.

Junge Tapire haben ein dunkles Fell mit weißen Punkten und Streifen. Das dient der Tarnung. Ausgewachsen sind sie sehr stark und erstaunlich schnell. Da ihr Lebensraum vom Menschen zerstört wird, sind Tapire dennoch in ihrem Bestand gefährdet.

Elefantenkälber müssen den Umgang mit dem Rüssel erst lernen.

ELEFANT

Loxodonta cyclotis

Loxodonta africana

Elephas maximus

Elefanten gehören zur Ordnung der Rüsseltiere.
Es gibt drei Arten: den Afrikanischen Elefanten,
der in offenen Savannen lebt, den Afrikanischen
Waldelefanten, den man in tropischen Regenwäldern
findet, und den Asiatischen Elefanten. Letzterer ist
in verschiedenen Lebensräumen Südasiens zu Hause.

Elephas maximus

Loxodonta africana

Elefantenrüssel sind knochenlos und
bestehen aus mehr als 40 000 Muskeln.
Ganz vorn haben die Elefanten Afrikas
zwei Rüsselfinger, die Asiatischen bloß
einen. Diese Finger machen ihre Nasen
zu genialen Greifwerkzeugen, mit denen
die Tiere sogar Erdnüsse aufheben und
schälen können. Andererseits können
sie mit ihren Rüsseln mehr als 300 Kilogramm schwere Dinge hochstemmen.

Die Nase dient auch der vielfältigen
Kommunikation: über Gerüche,
Laute, Gesten und Berührungen.
Ein erhobener Rüssel zeigt zum
Beispiel Aufregung. Und wenn ein
Elefant traurig ist, streicheln ihn
die anderen tröstend mit ihren Nasen
oder stecken sie behutsam ins Maul
des anderen. Manchmal verschlingen
sie sie dabei liebevoll miteinander.

Über Infraschall können die Rüsseltiere
Botschaften mit anderen Herden austauschen.
Diese besonders tiefen Laute werden bis zu
10 Kilometer weit über den Boden transportiert.
Der Rüssel wird auf den Boden gepresst, um die
Nachrichten loszusenden. Denn Infraschall hört
man nicht nur mit den Ohren, sondern ebenso
mit äußerst empfindsamen Elefantenfüßen.

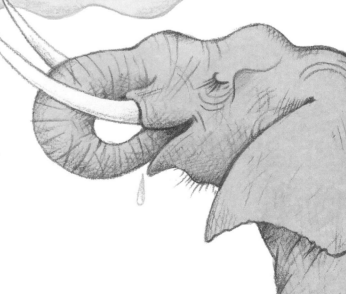

Der Elefant ist einer der größten Makrosmaten der Welt:
Er kann Wasser aus einer Entfernung von 10 Kilometern
mithilfe seines Geruchssinns aufspüren. Zum Trinken saugt
er bis zu 8 Liter Wasser in seinen Rüssel, um es sich dann in
den Mund zu spritzen. Auf dieselbe Art nimmt er übrigens
ein Bad – manchmal auch mit Staub statt Wasser.

Cyclopes rufus

Cyclopes didactylus

Tamandua mexicana

Myrmecophaga tridactyla

60 cm

AMEISENBÄR

Ameisenbären leben in Mittel- und Südamerika. Es gibt Große, Kleine und Zwergameisenbären. Die Großen wiegen bis zu 50 Kilogramm, die Zwerge hingegen bloß etwa 250 Gramm. Alle drei sind Makrosmaten, die schlecht sehen und hören, dafür aber hervorragend riechen können.

Die Jungtiere werden bis zu neun Monate lang getragen!

Pro Tag verputzt der Große Ameisenbär etwa 30 000 Ameisen und Termiten. Das klingt viel, entspricht allerdings bloß circa 200 Gramm. Vermutlich hat er deshalb meistens nur gerade ausreichend genug Energie, um sich auf genau eine Sache zu konzentrieren. Während er frisst, kann sich eine Forscherin so unbemerkt an ihn heranschleichen, um ihn ganz aus der Nähe zu beobachten.

Große Ameisenbären sind Einzelgänger. An Bäumen hinterlassen sie Kratz- und Duftbotschaften für ihre Artgenossen. Dafür drücken sie ihre Brust-Duftdrüsen an die Rinde. Man rätselt noch darüber, was genau die Tiere sich mitteilen: Vermutlich markieren sie auf diese Weise ihr Revier oder finden zur Paarung zusammen.

Man findet sie im Gegensatz zu ihrer baumlebenden Verwandtschaft meist in Savannen. Wenn es ihnen dort zu heiß wird, ziehen sie sich aber auch gern in tropische Regenwälder und Sumpfgebiete zurück. Mit ihren scharfen Krallen können sie sich gegen Jaguare und Pumas verteidigen. Aber wegen der Zerstörung ihres Lebensraums durch den Menschen verringert sich ihr Bestand stetig.

NASENAFFE

Nasalis larvatus

Nasenaffen leben auf der Insel Borneo in Südostasien. Man findet sie meist in sumpfigen Mangrovenwäldern in Wassernähe. Sie gelten als die besten Schwimmer unter den Affen und können bis zu 20 Meter weit tauchen. Zwischen den Zehen haben sie sogar kleine Schwimmhäute.

Sie gehören zu den Mikrosmaten, den Augentieren. Das bedeutet, dass ihr Geruchssinn trotz der großen Nasen nicht besonders gut ausgeprägt ist und sie sich wie alle Primaten (und Menschen) vor allem übers Sehen orientieren. Ihre Hauptnahrung sind verschiedenste Arten von Blättern.

Die Jungtiere haben nach vorn gerichtete Näschen. Bei den Weibchen entwickeln sich daraus später spitz zulaufende Riechorgane, bei den Männchen die Riesenzinken. Sie dienen ihnen beim Rufen als verstärkender Resonanzkörper: Männchen mit besonders großen Nasen haben beeindruckend laute und dunkle Stimmen.

Mit zunehmendem Alter wird die Nase der Männchen immer länger und knolliger. Manche Tiere stört sie irgendwann sogar beim Fressen: Sie müssen sie dafür zur Seite schieben.

Obwohl sie auf der drittgrößten Insel der Welt leben, haben sie dort kaum noch Platz. Ihr Lebensraum wird durch Waldabholzungen immer kleiner.

STUMPFNASE

Rhinopithecus roxellana
Rhinopithecus bieti
Rhinopithecus avunculus
Rhinopithecus brelichi
Rhinopithecus strykeri

Innerhalb der Gattung der Stumpfnasenaffen
gibt es fünf verschiedene Arten. Sie leben in
China, Vietnam und Myanmar. Dort ernähren
sie sich von Blättern, Früchten und Baumrinde.
Die Mini-Näschen haben sie vermutlich wegen
der eisigen Winter in ihren Lebensräumen entwickelt.
Eine größere Nase wäre dort deutlich kälteempfindlicher.

Alle Stumpfnasen sind in ihrem Bestand gefährdet.
Am schlimmsten betroffen ist die Tonkin-Stumpfnase:
Von ihr soll es nur noch weniger als 200 Tiere geben.

Erst 2010 entdeckten Schweizer Wissenschaftler den
Burmesischen Stumpfnasenaffen. Für ihn wurden
neue Schutzgebiete eingerichtet und die Bevölkerung
vor Ort über die Gefährdung der Art aufgeklärt.
Es gibt Hoffnung, dass ihr
Bestand in Zukunft
anwachsen wird.

Goldstumpfnasen

Burmesischer Stumpfnasenaffe

Tonkin-Stumpfnase

In Myanmar erzählt man, dass den Stumpfnasenaffen bei Regen das Wasser in die nach
oben geöffneten Nasenlöcher laufe, worauf-
hin die Tiere immer wieder niesen müssten.
Solche Tage verbringen sie deshalb angeblich
vorwiegend mit dem Kopf zwischen den Knien.

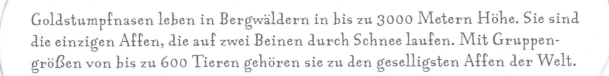

Goldstumpfnasen leben in Bergwäldern in bis zu 3000 Metern Höhe. Sie sind
die einzigen Affen, die auf zwei Beinen durch Schnee laufen. Mit Gruppen-
größen von bis zu 600 Tieren gehören sie zu den geselligsten Affen der Welt.

KOALA

Phascolarctos cinereus

Koalas sind Beuteltiere, die in Eukalyptuswäldern Australiens leben und bis zu 20 Stunden am Tag schlafen. Ihr Geruchssinn hilft ihnen im Alltag immer wieder, obwohl sie weder viele Gerüche auseinanderhalten noch weit riechen können: Ihre Nasen sind genau auf ihre Bedürfnisse angepasst.

Eukalyptus

Um ihre Artgenossen anhand ihres persönlichen Geruchs zu erkennen, müssen sich Koalas wegen ihrer geringen Riechweite sehr nah kommen. Dabei sehen sie aus, als ob sie sich einen Nasenkuss geben.

Ein Koala ist sehr wählerisch, was sein Essen angeht: Er ernährt sich fast ausschließlich von Eukalyptus und mag selbst davon nur ausgewählte Arten. Durch Schnuppern findet er heraus, ob ein Eukalyptusblatt zu viel giftiges Öl enthält, bereits verfault oder doch ein frischer Leckerbissen ist.

Man kann einen Koala an seiner ganz speziellen Musterung um die Nasenlöcher herum erkennen. Jede Koalanase ist so einzigartig wie ein Fingerabdruck.

Männliche Koalas auf Partnersuche brüllen laut, um auf sich aufmerksam zu machen. Außerdem reiben sie sich an Bäumen, um mit ihrer Brust-Duftdrüse ihr Revier zu markieren. Für die menschliche Nase riechen Koalas übrigens nach Eukalyptus-Bonbons!

ROOOAAAR RAAOR

Auch Babykoalas sind auf ihr Näschen angewiesen. Nach nur 35 Tagen im Bauch der Mutter müssen sie sich blind, taub, nackt und nur zwei Zentimeter groß ganz allein den Weg in den Beutel ertasten und erschnüffeln.

Wird auch Rüsselbär oder Coati genannt.

NASENBÄR
Nasua nasua / Nasua narica

Nasua narica

Nasua nasua

Es gibt noch einen weiteren Kleinbären mit auffälliger Nase: den Bergnasenbären, der in mehr als 2000 Metern Höhe in Gebirgen in Kolumbien, Venezuela und Ecuador lebt. Er ist bisher kaum erforscht.

Nasuella olivacea

Nasenbären leben in Wäldern im Südwesten der USA bis Argentinien. Es gibt Weißrüssel- und Südamerikanische Nasenbären. Die Männchen sind meist Einzelgänger, die Weibchen leben in Gruppen, zusammen mit ihren Jungen. Diese werden in Blätternestern in Baumwipfeln geboren und sind bereits kurz darauf ausgezeichnete Kletterer.

Die bewegliche Supernase kann in jede beliebige Richtung gedreht und in kleine Spalten, unter Steine und hinter Baumrinde geschoben werden. Auch lockere Böden durchwühlen die Allesfresser damit. Sie können ihre Leibspeisen aus bis zu 25 Metern Entfernung erschnüffeln. Besonders clever zeigen sie sich, wenn sie stachelig-giftige Insekten finden: Sie rollen sie mit ihren Vorderpfoten so lange in Blättern umher, bis sie unschädlich und genießbar werden.

Wenn die kleinen Raubtiere ihr Revier verteidigen oder sich um Essen streiten, recken sie ihre Rüsselnase bedrohlich in die Luft, grunzen furchterregend und zeigen ihre spitzen Zähne. Ansonsten unterhalten sich Nasenbären meist mit Fiepslauten, aber auch Gerüche dienen ihnen zur Verständigung mit Artgenossen.

FLUGHUNDE

Hammerkopfflughund

Röhrennasenflughund

Fledermäuse und Flughunde sind Fledertiere – die einzigen Säugetiere, die fliegen können. Während Fledermäuse abgesehen von entlegenen Inseln und polaren Regionen nahezu weltweit verbreitet sind, leben Flughunde vorwiegend auf der Südhalbkugel in Afrika, Asien, Australien und Ozeanien.

Kleinere Röhrennase

Flughunde können im Gegensatz zu den Fledermäusen sehr gut sehen. Aber auch ihr guter Geruchssinn hilft ihnen, süße Früchte zu finden. Meist schlucken sie nur deren Saft und spucken den Rest wieder aus. So verteilen die Pflanzenfresser die Samen und tragen zur Verbreitung der Bäume bei. Beim Nektarnaschen bleiben außerdem Pollen in ihrem Fell kleben, mit denen sie andere Blüten bestäuben. Die Funktion der extravaganten Nasen mancher Arten ist bislang unbekannt.

FLEDERMÄUSE

Mehr als 1400 Arten!

Große Spießblattnase

0   15 cm   30 cm

Bei den Fledermäusen findet man einen beeindruckenden Reichtum an verschiedensten skurrilen Nasenformen:

Schweinsnasenfledermäuse gehören mit einem Gewicht von zwei Gramm zu den leichtesten Säugetieren der Welt.

Dreizack-Blattnase

Blattnase

Herznase

Schweinsnase

Röhrennase

Hufeisennase

Schlitznase

Rundblattnase

Schwertnase

Die besonders geformten Nasenblätter helfen den Fledermäusen bei der Orientierung: Sie verstärken, schärfen und lenken die hohen Ultraschalllaute, die sie über die Nase aussenden. So können sie sich noch besser an den entstehenden Echos orientieren und Insekten im Flug schneller erwischen.

SEE·ELEFANT

Mirounga angustirostris / *Mirounga leonina*

Südliche See-Elefanten sind die größten Raubtiere der Welt!

ROAAARRR

Die etwas kleinere, aber längerrüsselige nördliche Art lebt zwischen Kalifornien und Alaska. Ihre südlichen Verwandten schwimmen rund um die Antarktis. Beide findet man meist allein unterwegs im Meer. Sie können länger als eine Stunde die Luft anhalten und tauchen bis zu zwei Kilometer tief.

Anfang des 20. Jahrhunderts waren von den Nördlichen See-Elefanten nur rund hundert Tiere übrig. Sie wurden unter Artenschutz gestellt, sodass sich ihr Bestand erholen konnte. Heute gibt es neue Probleme: Die Riesenrobben leiden unter der Verschmutzung und der klimawandelbedingten Erwärmung des Meeres.

In der Paarungszeit und zum Fellwechsel treffen sie sich in großen Gruppen an den Küsten. In ihren Nasen können sie dafür Feuchtigkeit speichern. Einen Bullen auf Partnersuche erkennt man an seinem aufgepumpten Rüssel. Damit verstärkt er die Lautstärke der beeindruckenden Rufe. Das lockt die Weibchen an und schreckt Rivalen ab. Es kommt oft zu Kämpfen, welche die Bullen so sehr erschöpfen, dass sie danach auf der Stelle einschlafen.

BLATTNASENNATTER

Die Blattnasennatter lebt auf Madagaskar. Die Funktion ihrer biegsamen Schuppennase ist unbekannt: Die der Weibchen ähnelt einem Blatt, die der Männchen einem Horn. Beim Schlüpfen liegt sie noch am Gesicht an und wird erst nach etwa 36 Stunden aufgestellt.

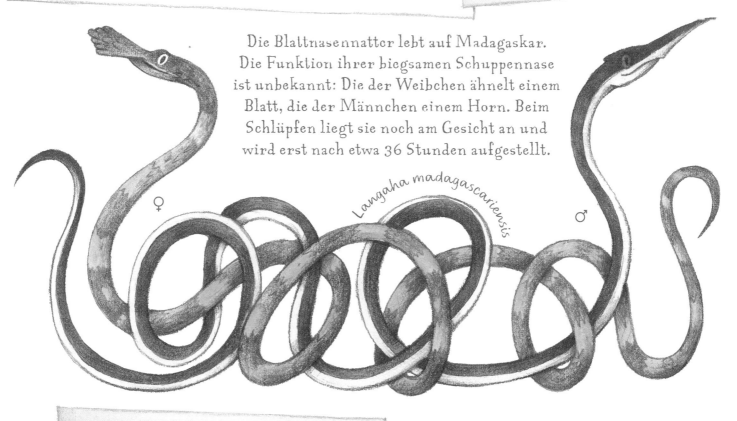

Langaha madagascariensis

♀   ♂

PAPUA-WEICHSCHILDKRÖTE

Die Papua-Weichschildkröte wird auch *Schweinenasige Schildkröte* genannt. Sie lebt in Flüssen in Neuguinea und Australien. Zum Luftholen streckt sie ihre Nase als Schnorchel aus dem Wasser. Mit ihrem empfindlichen Rüsselchen kann sie außerdem gut riechen und kleinste Bewegungen unter Wasser wahrnehmen. Das hilft der Allesfresserin, Fische und Krebse in trüben Gewässern zu finden.

Carettochelys insculpta

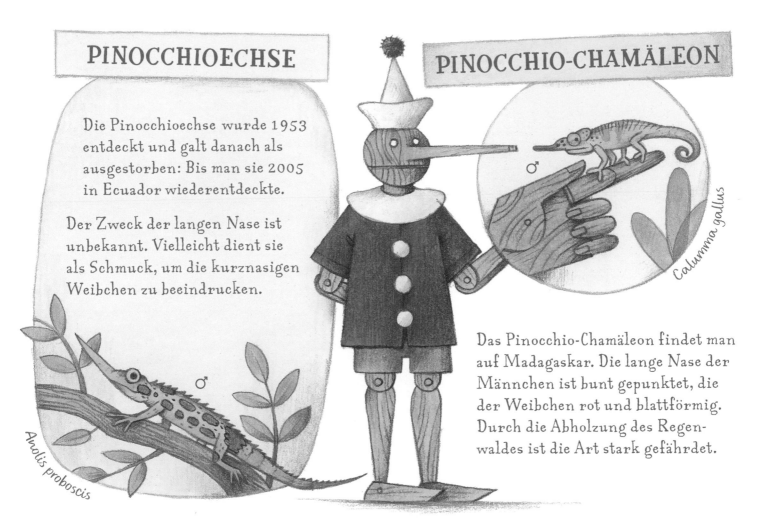

PINOCCHIOECHSE

Die Pinocchioechse wurde 1953 entdeckt und galt danach als ausgestorben: Bis man sie 2005 in Ecuador wiederentdeckte.

Der Zweck der langen Nase ist unbekannt. Vielleicht dient sie als Schmuck, um die kurznasigen Weibchen zu beeindrucken.

Anolis proboscis

PINOCCHIO-CHAMÄLEON

♂

Calumma gallus

Das Pinocchio-Chamäleon findet man auf Madagaskar. Die lange Nase der Männchen ist bunt gepunktet, die der Weibchen rot und blattförmig. Durch die Abholzung des Regenwaldes ist die Art stark gefährdet.

PINOCCHIO-BAUMFROSCH

Litoria pinocchio & Litoria prominina

In den Bergwäldern Neuguineas leben verschiedene Arten von Baumfröschen mit verlängerten Nasenspitzen. Der Nördliche Pinocchio-Baumfrosch wurde erst 2019 beschrieben. Wenn er Rufe ausstößt, zeigt seine Nase gerade nach vorn, meist hängt die Spitze herab. Forscher vermuten, dass die Nase den Fröschen dabei hilft, ihre Artgenossen zu erkennen: Denn auf Neuguinea leben mehr als 450 verschiedene Froscharten, und es warten sicher noch einige weitere auf ihre Entdeckung.

VÖGEL

Eissturmvogel

Weißkinn-Sturmvogel

Sepiasturmtaucher

Ganz besondere Riecher haben die Meeresvögel der Ordnung der Röhrennasen: Sie können über ihre Nasendrüsen überschüssiges Salz ausscheiden, das sie beim Fischfang aufnehmen. Manche von ihnen können außerdem ihren Gegnern zur Abwehr meterweit ein fischiges Magenöl entgegenspritzen.

Lange hieß es, dass der Geruchssinn bei Vögeln nicht gut ausgeprägt sei. Man hielt sie gar für Anosmaten, sogenannte Nicht-Riecher. Doch neuere Forschungen zeigen, dass einige von ihnen sogar richtig gut riechen können. Sie orientieren sich mit ihrer Nase und erkennen ihre Partner am persönlichen Duft.

Nur beim Kiwi sitzen die Nasenlöcher vorn an der Schnabelspitze.

Südlicher Streifenkiwi

FISCHE

Langnasen-Nasendoktorfisch

Elefantenrüsselfisch

Europäischer Aal

Eine der besten Riechfähigkeiten im Tierreich besitzt der Europäische Aal. Es wird vermutet, dass er damit nicht nur Beute aufspürt, sondern sich mithilfe seiner zwei Nasenröhren auch auf seinen Tausende Kilometer weiten Wanderungen orientiert. Andere Fische können vermutlich weniger gut riechen, aber wurden nach ihrem langnasenartigen Erscheinen benannt.

INSEKTEN

Fruchtfliegen

Obwohl einige Insekten beeindruckende Riesennasen zu haben scheinen, findet man die tatsächlichen Riechzellen auf den feinen Fühler- oder Rüsselhärchen. Damit können Motten wie der Seidenspinner kilometerweit entfernte Partner aufspüren. Die Schnüffel-Fähigkeiten von Fruchtfliegen erforscht man sogar für die Entwicklung *elektronischer Nasen*. Mit diesen Geräten will man zukünftig über Atemproben bestimmte Krankheiten früher erkennen können.

Rüsselkäfer

Nordamerikanischer Seidenspinner

Spitzkopfzikade

GLOSSAR

Amphibien (**Klasse**): Landtiere, die sich nur im Wasser fortpflanzen können. Zum Beispiel Frösche, die als Babys Kaulquappen sind. Amphibien werden auch *Lurche* genannt.

Art: Tiere, die einer Art angehören, weisen eine Vielzahl an gemeinsamen Merkmalen auf und können sich nur untereinander fortpflanzen. Es gibt allerdings einige Ausnahmen von dieser zweiten Regel: Die Kreuzungen verschiedener Arten nennt man Hybride. Oft ist man sich in der Wissenschaft nicht einig, und die Zuordnung von Tieren wird immer wieder angepasst, wenn man mehr über sie herausfindet. Die Arten-Namen sind daher manchmal irreführend: Ameisenbären sind zum Beispiel gar keine Bären, und der Stinkdachs ist kein Dachs.

Arten gehören einer übergeordneten Familie an. Mehrere Familien gehören zu einer Klasse, mehrere Klassen zu einer Ordnung und so weiter. Die gemeinsamen Merkmale werden nach außen hin immer weniger, bis die einzige Gemeinsamkeit im Reich diejenige ist, dass alle zugehörigen Lebewesen Tiere sind. Erfunden wurde dieses Namenverzeichnis (Nomenklatur) im 18. Jahrhundert vom schwedischen Naturforscher Carl von Linné.

Artenschutz: Der Schutz wild lebender Tiere durch den Menschen, oft in Form von Gesetzen. Es gibt eine *Rote Liste* der Weltnaturschutzunion (IUCN), die das aktuelle Aussterberisiko einer Art anzeigt und Gesetzgebern als Richtlinie für dringend notwendigen Artenschutz dienen kann.

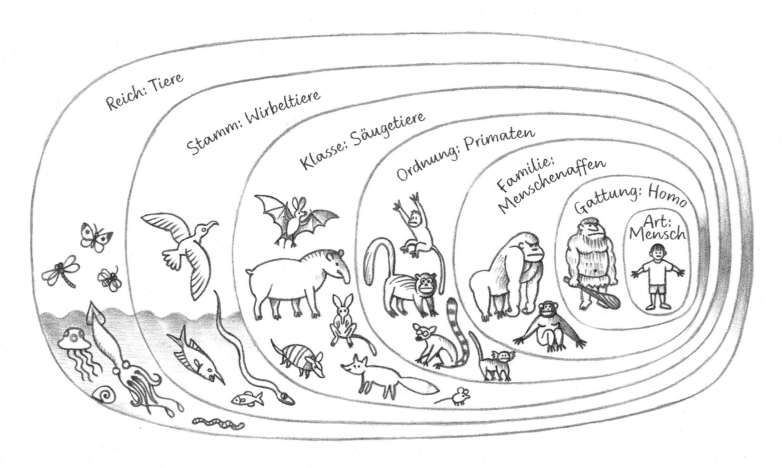

Bestand: Anzahl von Tieren einer Art. Wenn es immer weniger Tiere gibt, sinkt der Bestand und die Art ist vom Aussterben bedroht. Mit Schutzmaßnahmen kann man den Bestand mancher Tiere wieder anheben und sie vor dem Aussterben bewahren.

Beuteltier (Unterklasse): Ein Säugetier, das lebend geboren wird, sich dann aber erst im Beutel der Mutter bis zur Lebensfähigkeit weiterentwickeln muss. Kaninchennasenbeutler und Koalas sind Beuteltiere.

Beutetier: Ein Tier, das von einem Fressfeind gejagt und gefressen wird. Ameisen sind Beutetiere, aus ihrer Perspektive ist das Erdferkel ein Fressfeind. Gleichzeitig ist das Erdferkel aber auch ein Beutetier seines Fressfeindes, der Schabrackenhyäne.

Bullen: Männliche Tiere bestimmter Arten, zum Beispiel die der Elefanten und See-Elefanten.

Brunft: Paarungszeit bei Huftieren

Drüse: Ein Organ, das eine Flüssigkeit absondert. Oft hat dieses sogenannte Sekret einen ganz besonderen Geruch, der ein Revier markieren oder potenzielle Partnerinnen und Partner anlocken soll.

Duftmoleküle: Daraus bestehen Gerüche.

Elektrosinn: Menschen kennen nur fünf Sinne, mit denen sie die Welt wahrnehmen: Sehen, Hören, Riechen, Schmecken und Tasten. Manche Tiere, darunter der Schnabeligel, haben zusätzlich noch einen sechsten: den Elektrosinn. Damit können sie die elektrischen Felder wahrnehmen, die jedes Lebewesen umgeben, und so Beutetiere aufspüren oder Fressfeinde rechtzeitig bemerken.

Geruchssinn: Die Fähigkeit, bestimmte Gerüche wahrzunehmen. Die Anzahl der Riechzellen in der Riechschleimhaut zeigt, wie viele unterschiedliche Duftstoffe man erkennen kann. Eine hohe Anzahl der Zellen bedeutet nicht zwangsläufig, dass man auch besonders gut riechen kann. Eine wichtige Rolle spielt dabei auch die Passgenauigkeit für bestimmte Duftstoffe. Den einen Superriecher gibt es also nicht: Manche Tiere können besonders weit riechen, andere können sehr ähnliche Gerüche gut voneinander unterscheiden. Zum Riechen braucht man übrigens keine Nase: Insekten riechen mithilfe von Sinneszellen auf feinen Härchen. Anderen Tieren hilft zusätzlich das im Mundraum gelegene Jacobson-Organ: So sammeln Schlangen mit ihrer Zunge Duftmoleküle aus der Luft. Aber auch manche Säugetiere haben zusätzlich zu ihren Nasen ein Jacobson-Organ zur zusätzlichen intensiven Geruchswahrnehmung.

Kloake: Eine einzige Körperöffnung für Ausscheidungs- und Geschlechtsorgane. Zur Ordnung der Kloakentiere gehören die Schnabeltiere und die Schnabeligel. Aber auch Tiere anderer Ordnungen (Vögel, Reptilien, Amphibien) haben Kloaken.

Kommunikation: Verständigung

Lateinischer Name: Gilt auf der ganzen Welt und vermeidet Missverständnisse zwischen Menschen, die verschiedene Sprachen sprechen. Der lateinische Name einer Tierart ist (seit Linné) zweiteilig: Zuerst kommt der Gattungsname und danach der Name der Art. Wenn ein dritter Name dabeisteht, wird damit eine Unterart beschrieben. Der Mensch, der eine Art zuerst entdeckt und wissenschaftlich beschreibt, darf einen Namen vergeben. Es gilt als plump, seinen eigenen Namen zu verwenden, daher wird meist ein bedeutender Kollege geehrt (*Zaglossus attenboroughi*), einer einflussreichen Person für ihr Engagement im Naturschutz gedankt (*Hyloscirtus princecharlesi*) oder der Lieblingsschauspieler gewürdigt (*Conobregma bradpitti*). Manche Tiere werden sogar nach Buchfiguren benannt, die an das Aussehen der Tiere erinnern (*Litoria pinocchio*). Andere beschreiben, wo das Tier lebt (*Tamandua mexicana*). Die Entdeckerinnen und Entdecker sind frei in der Entscheidung, solange sie sich an die internationalen Regeln zur Namensgebung halten. Nachträglich geändert werden kann ein lateinischer Name nur in wenigen Ausnahmefällen.

Moschus: Eine stark riechende Flüssigkeit, die das Moschustier produziert. Ähnlich tierisch riechende Düfte werden oft als moschusartig bezeichnet und sollen meist Partnerinnen und Partner anlocken.

Nase: Als Nasen werden die Riechorgane der Fische, Amphibien, Reptilien, Vögel und Säugetiere bezeichnet. Durch diese können sie Gerüche aufnehmen, die über Sinneszellen wahrgenommen und im Gehirn verarbeitet werden. Viele Tiere atmen über ihre Nasen. Manche nutzen ihre Nasenlöcher sogar ausschließlich zum Atmen. Fische hingegen riechen, aber atmen nicht über ihre Nasen. Bei manchen *Nasen* in diesem Buch handelt es sich gar nicht um Riechorgane, sondern Körperteile, die nur vom äußeren Eindruck her so aussehen.

Nationalpark: Ein Schutzgebiet, in dem die Natur vor Umweltverschmutzung und weiteren negativen menschlichen Einflüssen geschützt wird.

Ökosystem: Das Zusammenleben verschiedener Pflanzen und Tiere an einem bestimmten Ort. Ist es im Gleichgewicht, geht es meist allen gut, und die Bestände der Tiere und Pflanzen sind stabil. Viele der Tiere hier im Buch sind wichtig für ihre Ökosysteme, weil sie Pflanzensamen über ihren Kot verteilen oder durchs Graben die Erde auflockern, die dadurch nährstoffreicher wird. Außerdem halten einige von ihnen die Bestände von ihren Beutetieren stabil, die sich sonst allzu sehr vermehren würden.

Das Aussterben einer einzigen Art kann manchmal das gesamte Gleichgewicht eines Ökosystems gefährden. Oft führen unbedachte menschliche Einflüsse zu einem Ungleichgewicht und gefährden damit alle Lebewesen, die ein Teil davon sind.

Organ: Ein Körperteil, das eine bestimmte Aufgabe erfüllt.

Orientierung: Wissen, wo es langgeht.

Orten: Herausfinden, wo sich etwas befindet.

Osmaten: Tiere mit Geruchssinn. Das Wort kommt aus dem Griechischen und bedeutet so viel wie Riecher. Makrosmaten (Großriecher oder Nasentiere) orientieren sich vornehmlich über ihren Geruchssinn und können meist nicht besonders gut sehen. Mikrosmaten (Kleinriecher oder Augentiere) können zwar riechen, orientieren sich aber meistens übers Sehen. Anosmaten (Nichtriecher) haben einen verkümmerten Geruchssinn und können kaum oder gar nicht riechen. Manche von ihnen orientieren sich beispielsweise über ihr Gehör, ihren Tast- oder ihren Sehsinn.

Rasse (Züchtung): Eine Haustierrasse ist eine vom Menschen gezüchtete Erscheinungsform eines Lebewesens mit bestimmten äußerlichen und Verhaltensmerkmalen. Der Begriff ist umstritten, wird aber oft gleichbedeutend zur Unterart bei Wildtieren verwendet.

Raubtier (Ordnung): Raubtiere sind eine Ordnung innerhalb der Klasse der Säugetiere. Zu ihnen gehören die Hundeartigen und die Katzenartigen. Sie haben ein starkes Gebiss und sind häufig Fressfeinde von anderen Tieren. Aber nicht alle Fleischfresser gehören zu den Raubtieren. Und manche Raubtiere sind Allesfresser (wie der Nasenbär) oder sogar Vegetarier (wie der Große Panda).

Reptilien (Klasse): Reptilien sind Landtiere (Ausnahmen sind Wasserschildkröten und Seeschlangen), die mit Lungen atmen, aber weder Federn, Haare oder eine schleimige Haut haben. Sie werden auch Kriechtiere genannt.

Resonanzkörper: Ein Hohlraum, der die Schwingungen eines Tons verstärkt und ihn dadurch eindrucksvoller und lauter macht – wie der Klangkörper einer Gitarre.

Rüssel: Ein Organ, das aus der Verschmelzung der Nase mit der Oberlippe entstand. *Echte Rüssel* haben nur Elefanten und Tapire, aber die hervorstehenden Schnauzen und Nasen anderer Tiere werden häufig ebenfalls als Rüssel bezeichnet.

Säugetiere (Klasse): In der Regel ist ein Säugetier ein Lebewesen, das seine Kinder lebend zur Welt bringt und anschließend säugt. Es gibt allerdings auch Ausnahmen, wie den eierlegenden Schnabeligel.

Schall: Etwas, das man hören kann. Wir Menschen hören Schall nur in einem bestimmten Bereich. Extrem hohe Töne, die wir nicht mehr wahrnehmen können, nennt man *Ultraschall*. Fledermäuse können ihn hören und sich mithilfe seiner Echos orientieren. Extrem niedrige Töne, die wir nicht mehr wahrnehmen können, nennt man *Infraschall*. Damit können sich beispielsweise Elefanten und Wale über weite Strecken hinweg verständigen.

Wittern: Der Versuch, mithilfe des Geruchssinns etwas wahrzunehmen. Oft ein vorsichtiges Schnuppern von Beutetieren, um aus einem Versteck heraus wahrzunehmen, ob die Luft rein ist. Oder andererseits das Aufnehmen einer Beutetier-Spur bei Jägern.

Zoologie: Tierkunde

ANMERKUNGEN

Quellen: Die Informationen in diesem Buch entstammen verschiedenen Quellen: dem *Handbook of the Mammals of the World* (Don Ellis Wilson/Russell Mittermeier, 2009–2019), dem Fledermaus-Führer *Bats – An Illustrated Guide to all Species* (Marianne Taylor 2019) sowie Publikationen von *National Geographic*. Die Infos zum Großen Ameisenbären stammen großteils aus Interviews mit der Ameisenbärenforscherin Lydia Möcklinghoff. Darüber hinaus diente die Enzyklopädie *Grzimeks Tierleben* (1967–1972) als Inspirationsquelle.

Weltkarte: Die Karte ganz vorn im Buch ist der *AuthaGraph*-Weltkarte des japanischen Architekten Hajime Narukawa nachempfunden: der aktuell genauesten Weltkarte hinsichtlich der Land- und Wassermassen. Narukawa hat sie entworfen, weil die bekannte Darstellung, die auf der Gestaltung Gerhard Mercators aus dem 16. Jahrhundert beruht, weit von der Wirklichkeit entfernt ist. Da die Erde nahezu kugelförmig ist, verzerrt sich ihr Bild auf einer flachen Karte: Bei der Mercator-Projektion erscheint Grönland zum Beispiel ähnlich groß wie Afrika, obwohl der Kontinent tatsächlich fast vierzehnmal so groß wie die Insel ist.

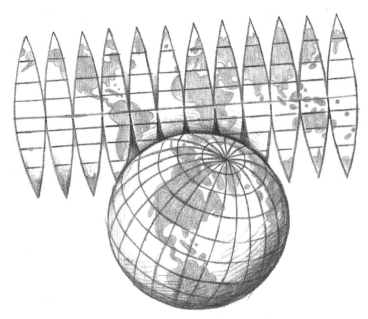

REGISTER

LENA ANLAUF wurde im Ruhrgebiet geboren. Bald war der *Taschen-Brockhaus Tiere* eins ihrer liebsten Bücher, und sie richtete Schnecken-Schutzgebiete in ihrem Garten ein. Später studierte Lena Buchwissenschaft und Philosophie in Mainz und Leiden und absolvierte die Weiterbildung zur Lese- und Literaturpädagogin sowie den Fernkurs *Kinder- und Jugendliteratur* der STUBE in Wien. Heute lebt sie in Marburg, arbeitet als Programmleiterin und Lektorin im *kunstanstifter verlag*, forscht zu historischen Bilderbüchern und schreibt und gestaltet eigene Buchprojekte. *Geniale Nasen* ist ihr Kinderbuchdebüt.

VITALI KONSTANTINOV wurde in der Ukraine geboren. Schon als Kind faszinierte ihn der Bisamrüssler im Naturkundemuseum. Vitali studierte Architektur, Grafik, Malerei und Kunstgeschichte, leitete Illustrationskurse an internationalen Universitäten sowie zahlreiche Workshops für Kinder. Seine Arbeiten wurden vielfach ausgestellt, prämiert und in 40 Ländern veröffentlicht. Zuletzt war er für den *Deutschen Jugendliteraturpreis* nominiert. Heute lebt Vitali als freier Illustrator und Autor in Marburg. Die *Geniale Nasen*-Illustrationen hat er mit Farbtusche und Buntstiften auf Aquarellpapier gezeichnet.

Vielen Dank an Andrea Naasan, Herwig Bitsche, Andrew Rushton, das gesamte NordSüd- und NorthSouth-Team für die begeisterte Unterstützung der Arbeit an diesem Buch! Herzlichen Dank an Dr. Pascal Marty für die fachliche Durchsicht! Ebenso ein großes Dankeschön an Livi, Felix, Lilli, Andrea und Robby sowie an all die Menschen, die unermüdlich die Tierwelt erforschen und für sie eintreten!

© 2023 NordSüd Verlag AG, Franklinstrasse 23, CH-8050 Zürich
Alle Rechte, auch die der Bearbeitung oder auszugsweisen
Vervielfältigung, gleich durch welche Medien, vorbehalten.

Text, Illustration & Buchgestaltung:
Lena Anlauf & Vitali Konstantinov

Schriften: Aunt Mildred MVB (Akemi Aoki),
Subtitle (Leah Eads), Gambino (Andrew Lethbridge)

Lektorat: Andrea Naasan
Lithografie: Frische Grafik, Hamburg
Druck & Bindung: Livonia Print, Riga, Lettland
ISBN 978-3-314-10633-0

1. Auflage 2023
www.nord-sued.com

Bei Fragen, Wünschen oder Anregungen
schreiben Sie bitte an: info@nord-sued.com

Der NordSüd Verlag wird vom Bundesamt für Kultur mit
einem Strukturbeitrag für die Jahre 2021–2024 unterstützt.
Mit herzlichem Dank an Dr. Pascal Marty, Kurator Kommunikation
Zoo Zürich, für die fachliche Prüfung.

3 m

2 m

1 m

0

1 m

2 m

3 m